Cerddi
y Tad a'r Mab
(-yng-nghyfraith)

Gwyn Erfyl
Geraint Løvgreen

Argraffiad cyntaf: Gorffennaf 2003

℗ *Gwyn Erfyl / Geraint Løvgreen*

Rhif Llyfr Safonol Rhyngwladol:
0-86381-843-9

Cynllun clawr: Sian Parri

Argraffwyd a chyhoeddwyd gan Wasg Carreg Gwalch,
12 Iard yr Orsaf, Llanrwst, Dyffryn Conwy, LL26 0EH.
℡ 01492 642031
🖹 01492 641502
✉ llyfrau@carreg-gwalch.co.uk
Lle ar y we: www.carreg-gwalch.co.uk

Cynnwys

Sgwrs rhwng tri

MapD   Mae'r ddau ohonoch yn amlwg mewn nifer o feysydd ond mae'r ddau ohonoch hefyd yn sgwenwyr a chyfansoddwyr: Lle dechreuodd y chwiw sgwennu yma?

GE   Yn Ysgol Llanerfyl yn fy achos i – roedd gan Erfyl Fychan, y prifathro, ddiddordeb mawr yn y byd hwnnw. Ar y dechre, sgrifennu traethode bach, hunangofianne gwirion – hunan gofiant esgid neu rwbath felly. Wedyn, roedd rhaid ymarfer rhyw gymaint o ddychymyg, a diddordeb mawr a dileit mewn iaith a sut i ddeud y peth. Roedd gen 'Nhad afael ar y pethe 'ma hefyd, roedd o'n cystadlu gyda rhyw draethode mewn steddfode lleol, yn enwedig ar hanes lleol. Roedd pwyslais ar fynegi'n dda ac roedd 'na ryw ddiddordeb mewn geirie a siarad dwi'n meddwl ar yr aelwyd. Wedyn yn y man, steddfode lleol, ac eisteddfod y Foel – telyneg a rhyw drio fel 'na. Fan'na dechreuodd y peth. Mi roedden ni yn dysgu talpie cyfan o farddoniaeth Gymraeg pan oeddan ni'n blant. Gormod o lawer! . . . Dwi'n cofio 'Alun Mabon', Ceiriog. Wel, gorfod dysgu'r cyfan ar y cof!
    Cyfuna di hwnna wedyn â diddordeb mewn canu, cystadlu yn y steddfod. Roedd y cysylltiad yma rhwng geirie a node a rhythm a mydr – baram-baram-bam-bam-bam . . . ac roedd hwnna hefyd nid yn unig yn rhywbeth yn yr ysgol, ond ymysg hogie Llanerfyl. Hynny ydi, roeddan nhw'n rhigymu. Unrhyw ddigwyddiad digri neu gableddus – mi fyddai'n cael mynegiant gan yr hogie. Roedd 'na ambell i bennill o'n i'n ei gofio, aml i dro trwstan . . . ne ryw sgandal leol. Mi fydde'r

beirdd lleol yn rhoi mynegiant i'r peth, yn nhraddodiad yr hen faled.

MapD   Ac roedd y geiriau yma'n cael eu rhoi ar alawon weithiau?

GE   Oedd bosib.

MapD   Mae 'na draddodiad o hynny o hyd ym Maldwyn dwi'n meddwl Geraint?

GL   Wel, ro'n innau wrthi yn yr ysgol gynradd hefyd – yn Wrecsam roedd honno, a sgwennu storis o'n i. O'n i'n sgwennu dipyn o storis, yn ca'l rhyw gyfnod bob dydd lle'r o'n i fod i sgwennu stori, ac o'n i'n sgwennu llond llyfrau o'r storis 'ma. Roedd 'na bobol eisiau darllen y storis 'ma, ond o'n i'm ishio iddyn nhw ddarllen nhw, achos o'n i'n swil! Wedyn, mi fues i'n sgwennu caneuon efo Hywel 'y mrawd. Roedd gen i gitâr Beatles plastig, ac roedd o'n hitio rhyw sosbenni a rhyw bethe. Ond 'sw'n i'm yn neud o flaen neb, heblaw 'yn rhieni a'n chwaer – o'n i'n swil iawn o hynny hefyd! Felly, o'n i jest yn ei gadw fo i mi fy hun. Wnes i ddim dechre gwneud pethe'n gyhoeddus o gwbwl. Mae'n siŵr y bues i'n cystadlu mewn steddfode a phethe. Deud adnod bob dydd Sul yn y capel, ond o'n i'm yn licio gneud dim yn gyhoeddus tan, wel, tan mynd i Lan-llyn. Ro'n i'n ysgol Drenewydd erbyn hyn . . . tua diwedd y cyfnod ysgol uwchradd. Ymlaen i'r coleg yn Aberystwyth ar ôl hynny, ac roedd 'na alw mawr am bob math o berfformio a chyfansoddi a chreu grwpiau yn y fan honno. Fan'no y dechreuais i gael hyder dwi'n meddwl.

MapD   Ar ôl cyfnod o arbrofi ac o gael ei orfodi i ddechrau sgwennu, gan orfod dilyn patrymau pobol eraill yn amal iawn, mae rhywun wedyn yn raddol yn mynd i sgwennu i blesio'i hun, lle mae'n gyfforddus hefo be mae'n ei sgwennu. Rydach chi'ch dau wedi datblygu rhyw arddull a rhyw gyfrwng yr ydach chi'n amlwg yn hapus gydag o.

GE 'Alla i ddim gorbwysleisio y cysylltiad agos i mi rhwng barddoniaeth a cherddoriaeth. Mae'n rhaid i mi deimlo o hyd rhywle, fod 'na rhythm, a gorau oll os oes na odl. Dwi wedi 'sgrifennu lot o stwff yn y vers libre, ond mae 'na rwbath yna' i hefyd sydd yn ymateb i 'bît' a chynghanedd – er nad dwi ddim wedi rhyw fedru meistroli'r canu caeth o gwbwl chwaith. Dwi'n gweld pwysigrwydd y peth. Mi roedd 'na wedyn gyfnod ar ôl i mi adael cartre, dudwch chi yn Nhrawsfynydd er enghraifft – roedd rhywun yn cyfansoddi ar gyfer achlysuron arbennig ac mae 'na rai o 'ngherddi i sydd wedi'u cyfansoddi ar gyfer cyfarfod bach yn y capel. Carolau, Lisa a fi'n 'u canu nhw, geiriau i'r 'Pelydrau'. Mi roedd rhywun yn cyfansoddi wedyn yn ôl y galw cymdeithasol. Dwi ddim yn ystyried hwnna falle y farddoniaeth orau, ond mae'n rhan o'r patrwm. Mae ambell i beth wedyn sy'n bersonol iawn, ond mae'r ddau beth wedi cydredeg mewn gwirionedd a pheth diddorol iawn i mi yn y gyfrol 'ma gan Geraint a minnau ydi bod 'na wahanol haenau. Mae rhai pethau sydd yn bersonol iawn, dwi'n eu hystyried efallai yn fwy difrifol na'r pethau o'n i'n eu sgwennu i ateb y galw. Ond beth sy'n bwysig ydi bod angen y ddau.

GL Dwi'n gweld hi'n haws sgwennu pethau digri neu bethau ysgafn achos 'dach chi ddim yn teimlo bo' chi'n mynd i gael yr un un feirniadaeth wedyn. Os dach chi'n gneud i rywun chwerthin, wel 'na fo, mae 'di gneud 'i bwrpas yn dydi? Dydi sgwennu am rywbeth o ddifri a phersonol ddim yn rwbeth dwi'n dueddu'i neud achos faswn i ddim yn teimlo mod i'n cyrraedd y safon – pwy sy' efo diddordeb yn eich pethau personol chi ynde?

MapD Mae chwerthin mewn ffordd yn rhyw fath o gymeradwyaeth 'tydi? Yn fath o ymateb uniongyrchol i'r ddawn dweud, ond mae'r distawrwydd sy'n gallu dilyn telyneg yn medru bod yn ymateb hefyd ydi o ddim?

GE Yndi, ac mae'r dagrau efallai yr un mor bwysig â chwerthin hefyd.

GL   Mae'n haws gneud i bobol chwerthin!

MapD   Wel, dwi'm yn siŵr!

GE   Mae'r ddau yn rhan o fywyd 'tydi. Hynny ydi, does na'm llawer iawn o fy marddoniaeth i yn farddoniaeth 'Ha, ha, ha', ond falle mai gwendid ynof i ydi hynny. Y pethau dwys yn y diwedd ydi'r pethau sy'n fy ysbrydoli fi ar y cyfan, ond mae'n amlwg mai ymateb hwyl a chwerthin y gynulleidfa sy'n rhoi'r mwya o bleser i ti, Geraint.

GL   Ie, ie, ond hwyrach am fod gynna'i ofn y llall. Ac eto mae run fath efo chwerthin – os nad ydi pobol yn chwerthin pan 'dach chi 'di gneud rhywbeth digri, mae hynny'n medru bod yn beth fflat iawn hefyd.

GE   Yn wahanol i chi'ch dau, dwi'm yn credu 'mod i rioed wedi cael y ddawn i greu chwerthin ymysg pobol. Felly ei bod hi'n well i mi adael o'n llonydd!

GL   Dwi'm yn meddwl 'mod i 'di ca'l y ddawn i wneud i bobol grio chwaith! Ddim yn fwriadol beth bynnag.

MapD   Ond mi wn i'ch bod chitha Gwyn yn mwynhau pethau ysgafn.

GE   Wrth gwrs, wrth gwrs.

MapD   Pa un fuasech chi'n ei ddeud ydi'ch hoff limrig chi neu'ch hoff gân ddigri chi – gan hepgor stwff Geraint rŵan wrth gwrs! Dwi'n gwybod bod chi'n ffan mawr ohono fo.

GE   Dwi'n ei chael hi'n anodd iawn dewis. Ma' na dipyn o stwff Waldo – ges i gopi o'i farddoniaeth gan Waldo ei hun sydd yn cynnwys rhyw bethau sydd ddim yn Dail Pren. Ac mi rodd o'n beth gwirioneddol ddigri ynde. Cerddi fel 'Y Nefoedd' o'r casgliad preifat ac o 'Dail Pren' cerddi fel 'Beth i'w wneud a nhw,' 'Fel hyn y bu', 'Y Sant' neu 'Ymadawiad cwrcath'. Hynny ydi, dwi'n credu bod barddoniaeth ddigri sydd yn cynnwys hiwmor yn angenrheidiol – dyna pam 'mod i'n licio stwff Geraint.

MapD   Beth amdanat tithau Geraint – wyt tithau'n hoffi caneuon a thelynegion dwysach. Sut fath o rai fasat ti yn eu dwyn i gof?

GL   Os bydda i'n darllen barddoniaeth, mae'n well gen i ddarllen stwff dwysach, deud gwir. Swn i ddim yn trafferthu darllen 'yn stwff yn hun deud gwir!! Sonedau T.H. Parry-Williams, a pethau fel'na dwi'n licio. Pob math o stwff . . . ond T.H. Parry-Williams 'di'r un dwi'n dychwelyd ato . . .

GE   Dwi'n meddwl bod yna ddau eithaf yma dwi'n drio ei osgoi. Dwi'n cael llawer o bethe ar radio, ac yn arbennig ar y teledu, yn y Gymraeg sydd i fod yn ddigrif, ond dwi'm yn eu cael nhw'n ddigri o gwbwl. Llawer o hiwmor tŷ bach. Does 'na ddim cynildeb na chrefft ynddo fo – mae'n dibynnu'n llwyr ar ddefnyddio geiriau dipyn bach yn fras. Ar y llaw arall, yr eithaf arall ydi bod 'na gymaint o farddoniaeth Gymraeg sy'n gallu bod yn uffernol o sentimental hefyd, sydd yn chwarae ar deimladau. Mae hynny'r un mor anghynnil â hiwmor sy'n mynd dros ben llestri.

MapD   Mae gan y ddau ohonoch chi berthynas â Maldwyn. Sut 'sach chi'n disgrifio'r perthyn yma i Faldwyn?

GL   Mae fy nheulu i gyd yn sir Drefaldwyn o hyd. Er na wnaethon ni ddim symud yno tan o'n i'n dair ar ddeg, mi fuaswn yn ystyried y lle fel fy hen gartref i rŵan, am fod fy nheulu fi i gyd yno. Ond dwi'm yn teimlo chwaith yr un un perthyn. Dwi'n teimlo bod 'y ngwreiddiau fi fwy yn ardal Wrecsam, ffor' 'na. Eto roedd Nain yn dod o Faldwyn cyn hynny hefyd. Hogyn o'r hen Bowys ydw i'n y bôn!

MapD   A lle daeth y Løvgreen wedyn 'ta?

GL   Roedd ochor dad i gyd o Lerpwl. Felly mae hanner 'y nheulu
      fi yn Lerpwl a'r ochrau yna. Fel ti'n gwybod, mi ddaeth taid
      'y nhad i Lerpwl o Copenhagen ar long. Fues i draw yn
      Copenhagen ac roedden nhw'n deutha fi mai enw Swedeg
      oedd Løvgreen, ac nid Løvgreen oedd enw'i fam o ar y
      dystysgrif geni, ond Nilsen. Wedyn odden nhw'n meddwl
      mae'n siŵr bod y Løvgreen 'ma wedi dod o Sweden ne
      rwbeth. Dwi fawr callach! Ond dwi'n meddwl 'wrach bod
      hynny'n rhoi rhywbeth yno' fi sydd jyst dipyn bach yn
      wahanol, am bod gen i wahanol wreiddie. A hwyrach bod o
      jyst wedi rhoi rhyw olwg wahanol i mi o'i gymharu â phobol
      eraill yn y rhan yma o'r byd.

GE   O edrych yn ôl ar y pethe dwi 'di trio cyfansoddi cerddi o'u
      cwmpas nhw, mae pobol, teulu yn y lle cyntaf, yn enwedig yn
      y blynyddoedd diwethaf yma, wedi bod yn amlwg, a
      chymeriadau sy'n perthyn i'r ardal yna, sir Drefaldwyn – a sir
      Feirionnydd, wrth gwrs wrth i Lisa ddod i mewn iddyn nhw.
      Mae'r rheina wedi bod yn fath o ysbrydoliaeth i fi. Fwyfwy y
      ddaear yna, a'i phobol, sy'n ysgogi – mae rhywbeth yn naws
      y tir yn ogystal â'r gymdeithas.

GL   Pan oedden ni'n symud yna i ddechrau, roedd pobol yn sôn
      am y 'mwynder Maldwyn' oedd yno. Ond dyma fi'n gorfod
      landio yn yr ysgol ma'n Drenewydd oedd yn hollol Saesneg
      ac yn enfawr, a'r plant i gyd yn gas, ac o'n i meddwl
      'mwynder Maldwyn'? Be 'di hynny?! Ond dwi'n 'i
      werthfawrogi o fwy ers i mi fynd o'na a mynd yn ôl yn
      achlysurol – mae 'na ryw arafwch yno. Mae pobol yn fwy . . .
      dwi'n meddwl bod 'na rwbeth mwyn am y tir, siâp a ffurf y
      tir, ac mae'r bobol run fath felly.

MapD   Ac i chi, Gwyn, o ddarllen eich telynegion diweddar chi,
      ydi cyfnod yr hogyn 'na yn y tridegau, ydi hwnnw'n dod yn
      fwy byw i chi heddiw wrth i'r amser bellhau?

GE O, yn bendant. Mae 'na ddau beth wedi f'ysbrydoli fi yn ddiweddar ma, yn rhannol oherwydd galwadau y 'Talwrn' mae'n rhaid imi ddeud. Falle na faswn i wedi poeni eistedd i lawr i ysgrifennu o gwbwl ond bo' rhaid. A dwi'n teimlo, bod rhaid oherwydd dau beth yn bersonol ac yn deuluol – colli Lisa, hynny ydi. Mae'n rhaid bod yn ofalus o hwnna. Dwi'm yn licio meddwl am feirdd yn ymroi gormod i'w hiraeth personol yn yr ystyr yna. Ond 'alla i ddim osgoi'r peth chwaith, a mae 'di bod yn bwysig iawn. Ac oedd Lisa hefyd yn cyfuno, ddim jest y peth, cariad, ond y consyrn a'r dileit mawr mewn gosod y peth ar gân, iddi ganu penillion er enghraifft. Mae'r cyfuniad yna yn bwysig iawn.

Mae hynny'n amlwg yn y blygen adeg y Nadolig. Mae 'na ddirgelwch mawr yn yr achlysur – gweld yr hen hogie ynde, efo 'sgidie cryfion a thraed trwm, yn cerdded i lawr ac yn uno i ganu 'Salm y Baban'. Dwi rioed wedi cymryd angylion o ddifrif, na'r tylwyth teg ar y goeden Nadolig. Mae'r peth i mi yn ffals. I mi y peth sy'n troi Nadolig yn fyw oedd bod rhywun fel Ifan a Wat Coed Talog Uchaf yn 'u ffordd wledig 'u hunain yn rhan o ddrama'r Nadolig. A dyna oedd y blygen i mi, ddim rhywbeth ffansi benywaidd, ond rhywbeth gwrywaidd iawn, yn rhywbeth o'r pridd a dweud y gwir. Mae barddoniaeth i mi yn cynnwys hwnna hefyd.

MapD Dach chi wedi sôn am y Talwrn – mae'r ddau 'na chi'n aelod o'r un un tîm Talwrn sydd yn llwyddiannus iawn (weithiau!). Sut dach chi'n ymateb i'r tasgau? Mae'n debyg mewn tîm Talwrn fod gan bob un ei rôl a'i dasgau arferol. Ydach chi'n dyheu i ddod allan o'r rôl honno weithiau a trio rhyw bethau gwahanol?

GL Dwi'm wedi gwneud cywydd eto na thelyneg! Ond dwi 'di gneud englynion – felly, dwi'n iawn!

MapD Falla bod englyn lawer haws na limrigau?

GL Llawer haws, llawer haws. Nes i jyst neud un neu ddau, a nes

13

i feddwl, o, dyna fo, dwi 'di neud hynna. Boring.

GE Yn ein tîm bach ni, Geraint sy'n gwneud y tasgau ysgafn fel rheol. Ond yn ddiweddar mae o wedi gwneud ambell i beth eithaf dwfn hefyd. Mae fy rôl i yn syml, syml – hynny ydi, fi 'di dyn y delyneg. A dyna'r unig beth dwi'n neud. Dwi'n gadael y tasgau cymhleth, gneud y cynganeddion i'r lleill.

MapD Teitl braf Gwyn, 'dyn y delyneg'! Sut dach chi'n mwynhau'r elfen gystadleuol a pherfformio sydd ynglŷn â'r Talwrn?

GL Dwi'n mwynhau. Dyna'r unig beth dwi 'di neud erioed. Nes i ddechre gneud pethe'n y coleg, perfformio, sgwennu penillion a'u hactio nhw. Wedyn, dechre efo tîm Talwrn a dwi'm yn meddwl faswn i wedi sgwennu ddim byd heblaw caneuon efo'r grŵp oni bai bod rhywun 'di gofyn i mi ddod i mewn i'r tîm Talwrn. Ac wedyn mi arweiniodd hynny at y busnes teithiau beirdd 'ma a phethe. Dyna sut dwi'n meddwl am y peth. Nid 'creu' er mwyn creu – ond meddwl am rywbeth i'w neud a'i neud o'n gyhoeddus.

GE Dach chi bois yn mynd o gwmpas Cymru ac yn diddanu. Dwi'n meddwl bod hwnna'n beth bendigedig, bod na gyswllt bach, ddim jest â'r beirniad, ond mae gynnoch chi gynulleidfa. 'Dach chi'n paratoi ar gyfer cynulleidfa a 'dach chi'n gwybod os nad ydach chi'n apelio at y gynulleidfa nad ydi'r dasg yn gyflawn. Er y gallwch chi gael y marc uchaf gan y Meuryn, y peth pwysicaf ydi bo' chi'n taro tant hefo nhw. Dwi'n meddwl bod hwnna'n hanfodol. Ac mae taro'r tant hefo'r gynulleidfa yn bwysicach na chael naw neu naw a hanner neu ddeg gan Gerallt, deud y gwir ynde. Dyna ydi'r peth, ond wedyn . . . mae'r peth yn gymhleth. 'Run fath â beirdd steddfod yn gwybod pwy sy'n beirniadu 'de. Â mynd nôl rŵan hanner can mlynedd, 'pwy sy'n beirniadu?' oedd y cwestiwn cyntaf, nid be' 'di'r testun, na be 'di'r weledigaeth, na sut dwi'n ymateb i'r testun, ond pwy sy'n beirniadu. Ac o, os 'di hwn a hwn yn beirniadu, mae'n rhaid sgwennu fel hyn, fel hyn, fel hyn. Wel, mae hwnna i mi yn rhywbeth ffals iawn. Mi ddyle rhywun gyfansoddi ddim yn ôl chwaeth y beirniad, ond sut wyt ti ishio deud y peth. Mae 'na beryg hefyd i'r gynulleidfa reoli gormod wrth gwrs – mae 'na ryw bethe sydd ynom ni nad ydyn nhw mor hawdd â hynny, ac eto maen nhw'n bwysig. Falle bod nhw'n bersonol iawn, a falle nad ydyn nhw ddim yn ateb galw cymdeithasol, ond weithie dyna'r peth sydd yn ein cynrychioli ni go wir. Felly mae'r busnes cystadlu 'ma a'r mynegi yn gymhleth iawn. Ond mae'n rhaid cael y cyfan, mae'r sbectrwm i gyd yn bwysig.

MapD   I gloi 'ta, mae'r ddau ohonach chi'n Gofis dŵad, yn byw yn nhre Caernarfon. Be ma'r hen dref yma 'di roi i chi?

GE   Mi ddois i yma dan amgylchiadau anodd, personol iawn. Mae Caernarfon yn golygu lot fawr iawn i mi, achos mi ddois i yma yn syth ar ôl colli Lisa. Oedden ni 'di gobeithio y bydden ni'n dau'n gallu byw yma. Ches i mo'i chwmni hi yma. Dwi'n teimlo bod Caernarfon mewn rhyw ffordd ryfedd wedi lapio'i hun o 'nghwmpas i, ac mae'n golygu popeth i mi yn yr ystyr yma. Mae pobol yn deud 'Sut dech chi?' 'Dech chi'n setlo i lawr'. Mynd i mewn i siopau ar y Maes, siop gemist, banc, a chael pobol yn holi fel'na – peth na chês i rioed mohono fo yn Mangor Uchaf. A dim beirniadaeth ar Bangor Uchaf ydi hwnna . . .

GL   Mae'n wir be' 'dach chi'n ddeud, mae'n dref agos iawn atoch chi. Mae'r bobol yn agos iawn atoch chi. Bron â bod yn y'ch gwyneb chi weithiau ynde, pan w'rach 'fysech chi ddim eisio fo, ond eto maen nhw yna. Dwi a Leri 'di magu'r plant yma rŵan, felly dwi'n cyfrif fama fel cartre'r plant yn amlwg. Mae'n lle arbennig iawn i mi hefyd. Ac mae hi mor Gymraeg yma, mae'n dre hollol Gymraeg.

GE   Ymhob lefel o'r gymdeithas.

GL Ie, ie. A faswn i'n gallu mynd i ddarllen 'y ngherddi i rywun yn y dre, a fasan nhw'n eu dallt nhw. Ti'n teimlo bod ti'n perthyn i'r dre i gyd, a ddim jyst i ryw garfan sy'n perthyn i'r capel neu beth bynnag.

GE Mae 'na elfen amharchus, hyfryd yn perthyn i Gaernarfon. Mae'r llall yma hefyd, ond mae'n rhaid i mi ddeud bod amharchusrwydd yn apelio ata i, mae'n golygu bod pobol yn gallu bod yn onest iawn. Hynny ydi, maen nhw'n dangos 'u gwaetha' yn ogystal â'u gorau. Does gen i ddim llawer o ddiddordeb mewn pobol sy'n rhagrithio ynte, dwi'm yn licio pobol sy'n cymryd arnyn nhw fod yn rhywbeth nad ydyn nhw ddim.

GL Dwi 'di arfer byw mewn cymdeithasau lle mae'r Cymry yn un criw o bobol, fatha rhyw griw dethol braidd, maen nhw i gyd yn y capel, neu maen nhw i gyd yn yr ysgol Gymraeg, yn Neuadd Pantycelyn a ballu. Ond does 'na ddim o hynna yma. Mae 'na wahaniaethau mawr mewn gwahanol rannau o'r dre, ond fedrith pawb siarad efo'i gilydd a fedrith pawb gyfathrebu yn yr un iaith yn un peth. 'Dyn nhw ddim yn ara deg o siarad efo pawb chwaith.

MapD Ac mae 'na lot o hwyl 'ma?

GL O, lot fawr o hwyl 'ma. Oes.

GE Ac mae 'na rywbeth arall hefyd, falle bod hwn yn bwysicach a falle bod chi'ch dau wedi cyfrannu at hwn. Dwi'n mynd i Safeways weithie (yn aml a deud y gwir), ond ma' 'na bobol yn dod ata'i yn deud 'Glywes i chi ar . . . '. Ac mae 'na bobol annisgwyl wedi gwrando ar y Talwrn.

GL O, mae hyn 'di bod erioed. Dwi'n cofio pan nes i ddechrau arni – ac ro'n i 'di bod yn canu efo grŵp ers blynyddoedd cyn hynny – ond y peth cynta 'nes i ar y Talwrn, roedd pobol yn dod ataf i ar y stryd, pobol faswn i byth yn dychmygu bo' nhw'n gwrando ar Dalwrn y Beirdd.

GE Ac os nad ydi'r awen, neu beth bynnag 'dach chi'n dewis 'i alw fo, os nad ydi'r peth yna yn gallu cysylltu â'r amrywiaeth yna, wedyn mae 'na rywbeth yn bod ar yr awen, ddim ar y bobol mae'r bai. Hynny ydi, mae'n rhaid cael ambell i gân, ac mi fydd 'na ambell i gân, hyd dragwyddoldeb, fydd falle yn anodd iawn i'w dallt. Does gynnon ni ddim diddordeb mewn dweud bod rhaid i bopeth fod yn syml ac yn glir, ond mae'n rhaid i'r awen hefyd gysylltu â phrofiadau pobol ar sawl lefel, ddim jest ar un lefel.

Caernarfon,
Mehefin 2003

Y cerddi

Camp

Deuai'n Houdini bob gwanwyn i ffair y Llan
Efo'i sach, ei glo a'i gadwynau,
Ymlusgai'n lloerig-ddall yn ei gaethglud
Rhwng y dyrfa a stryd y stondinau.

Ni welai'r cyplau'n eu cychod yn morio'r nos
Na'r ceiniogau-hel-cerrig* yn rowlian,
A di-hid o'i dynged oedd y doethion o'r dwyrain
Gyda'u trysorau ecsotig a'u sidan.

Rhyw frith-gof sydd gen i o'r llestri a'r tlysau
A ffroenau'r meirch yn y cylchdro chwil,
Neu seiat brofiad rhyw Fadam Sera
Yn olrhain llinellau genynnau fy hil.

Un wefr, un cofnod sy'n aros o bererindod y ffair –
Houdini ac eiliad ei atgyfodiad yn datgan, "Rwy'n rhydd!
Mae gen i lais!" A'r cnawd a wnaethpwyd yn air.
"Mae gen i gân i'r gaethglud a gladdwyd. Mae'n ddydd!"

GE

*Yr arian a gaem am glirio cerrig o'r caeau!

Anghofio

Diolch i'r drefn am y peintwyr
sy'n harddu holl waliau'r fro
efo'r slogan COFIA DRYWERYN,
neu 'swn i 'di'i anghofio ers tro.
Ond pam nad eith y sloganwyr
un cam bach ymhellach: o pam
wnân nhw'm dôbio ar waliau ym mhobman
COFIA BEN-BLWYDD DY FAM ?

GL

Cariad

Gwelais ddawns y darnau arian
Pan fydd yr haul yn golchi'r marian,
Wedyn, oedi yn syfrdandod
Machlud ar y twyn a'r tywod,
Ond fe'm daliwyd gan dy lygaid dyfnion di.

Rhywle draw uwch swae y tonnau –
Galwad gwylan ar y creigiau,
A daw eto falm i'r galon
Wrth noswylio'n sŵn yr eigion,
Ond fe'u ffeiriwn oll am rin dy chwerthin di.

Clywais yno stori'r dryllio,
Y waedd am help a neb yn malio,
Ac yn chwilfriw ar y glannau
Bydd broc môr y torcalonnau,
Ond angor fawr i'm cadw fydd dy freichiau di.

GE

Pennill mawl i'r cwmnïau olew

Hwre i Flora a Crisp'n'Dry:
o'u herwydd gallaf sicrhau
na fydd fy sglodion byth yn sogi –
yn rhai na fwytwn dros fy nghrogi.
Na, sglodion sych grimp a fwynhaf
yn y gaeaf ac yn yr haf,
yn y pnawn ac yn y bora
diolch i Crisp'n'Dry a Flora.

Hollywood (englyn)

Hollywood sydd yn LA – y mae
        ymhell o Zimbabwe,
    yn gaer lle caiff dynion gay
    oscars am ffilmiau risqué.

GL

Cwm (Banwy)

Yn y tridegau, byseidiau o Birmingham ar eu ffordd tua'r lli –
Cwm i fynd trwyddo, nid iddo, oedd fy henfro i.

Dyddiau'r gwair yn pydru'n ddu mewn cors ddi-heulwen –
Dyddiau'r gwenith gwyn a'r ysgubor lawen.

Yna, yn gogie, diosg pob chwys a philyn
A phlymio'n noeth i'r dwfwn yn llyn y Felin.

Yng nghapel Rehoboth, y gair a'r gân yn trydaneiddio 'ngofod –
Y gwyn a'r gwridog, y goron ddrain, y gwin a'r wermod.

Yno, synhwyro cymhlethdodau ffawd
Sydd yn paganeiddio'r dwyfol ac yn sancteiddio'r cnawd.

Fan hyn mae fy hanfod a phob rhaid a rhinwedd,
Rhyw ddarn o hwn fydd yma i'm dal hyd y diwedd.

GE

Ar achlysur agor swyddfa
Cymdeithas yr Iaith, Pen Roc, 6.11.98

Mae'r heniaith wedi'i hachub,
does 'na ddim byd mwy i'w wneud,
mae pob peth yn hynci dori,
mae'r Arglwydd wedi deud.
Mae'r plant yn iard yr ysgol
yn wilia yn Gwmrâg;
penawdau'n sgrechian "SNOWDON
AND WELSH LANGUAGE SAVED BY ARG."
Mae dyfodol y Gymraeg
a'r genedl erbyn hyn yn hinjio
ar gydweithrediad pawb, so plis
neith bobol stopio winjio?
Bob dydd mae Kate a Dafydd
'n iste fama'n hollol bored
yn disgwyl am argyfwng iaith
sydd ddim yn mynd i ddod;
'chos fel deudodd Rhodri Williams,
mae pob brwydr wedi'i hennill,
a dwi 'di gorfod dod bob cam
i ddeud 'thach chi mewn pennill;
'chos os 'di'r Arg 'di achub
yr iaith ynghyd â'r Wyddfa,
i be ddiawl mae'r Gymdeithas
yn trafferthu agor swyddfa?

GL

25

Cyffyrddiad y Meistr

(cyfieithiad ac arall eiriad o gerdd welais mewn mynachlog yn Iwerddon)

Roedd hi'n greithiau i gyd, ac ni chredai'r gwerthwr,
wrth fodio'r ffidil hen,
ei bod hi'n werth y drafferth na'r amser,
ond fe'i cododd i fyny â gwên:
'Be' rowch chi amdani, bobol,
pwy sydd am gychwyn y ffair?
Punt, un bunt,' yna, 'dwy, dwy bunt,
a beth am ei gwneud hi'n dair?
Tair punt. Unwaith, tair punt eilwaith,
mynd am dair . . . '
ond yna
fe gododd henwr claerwyn ei wallt
yn dawel o ganol y dyrfa.
Fe'i gwyliwyd yn byseddu'r llwch o'r pren,
a gyda'r llinynnau'n dynn
cododd y bwa a chanodd y ffidil
fel carol rhyw angel gwyn.
Llifai yr alaw'n llesmair pur
gan fynd a dod ar y gwynt,
ac am ennyd nid oedd amser na lle yn bod,
dim ond ias o'r gogoniant gynt.
Daeth y miwsig i ben, ac yna'r gwerthwr
mewn islais tawel a thyn –
'Pwy sydd am gynnig ei bris am y ffidil hen?'
gan droi at y dyrfa syn:
'Mil punnoedd, neu beth am ei gwneud hi'n ddwy?
Dwy fil . . . a phwy sydd am gynnig tair . . .
tair mil o bunnoedd, unwaith, dwywaith.
Mae'n mynd,' gwaeddai'r gwerthwr, 'am dair.'

Clapiodd y dyrfa, ond gwaeddai rhai,
a'u dryswch yn gymysg â braw,
'Pa beth a newidiodd y gwerth?'
A'i ateb –

'Dim ond cyffyrddiad y meistr â'i law.'
Ac mae sawl un ohonom allan o diwn
a chreithiau ein pechod yn drwm.
Fe awn yn rhad yn y ffeiriau gwag,
a'r cynnig, fel yn rhawd y ffidil, yn llwm.
Fe awn unwaith, yna eilwaith,
yn mynd – bron iawn â mynd –
ond mae'r Meistr yno, ac nid yw'r dyrfa
byth, byth yn deall
beth yw gwerth un enaid, a'r newid a ddaw
dan gyffyrddiad y Meistr a'i ddwyfol law.

GE

Colli cyfle

Pan o'n i'n was sifil flynyddoedd yn ôl,
mi ges i fy anfon ar gwrs
ar "Gyfleoedd Rheoli a Sut i'w Mwyhau" [sic],
gan Sais o Fanceinion, wrth gwrs.
Roedd o'n ddyn llawn sloganau bach slic, ystrydebol,
ond mi ddeudodd un peth wnaeth fy symud,
sef "Does dim ffasiwn beth â phroblem yn bod,
dim ond cyfle yn aros i'w gym'yd."

Y blynyddoedd aeth heibio, ges i dri o blant
(wel, nid fi gafodd nhw, dech chi'n dallt)
ac mi dyfodd y plant: rŵan ma'r hyna yn dreifio
fy nghar i, a dwi'n colli 'ngwallt.
Beth bynnag, un dydd daeth y fenga' 'cw adre
'fo hamster a ffeindiodd yn rhywle:
peth nesa', roedd ganddo fo gaej a blawd lli,
ond nid problem oedd hwn, na, ond cyfle.

Wel, cyfle i be, dwi'm yn siŵr, ond 'na fo,
fel 'Cyfle' y ca'th o'i fedyddio
mewn defod fach syml yn y bath un prynhawn,
(bu bron iawn i'r gw'nidog ei foddi o);
ac am fisoedd mi gafodd o fywyd reit braf,
yn mynd rownd a rownd yn ei olwyn,
yn ei gaej plastig crand efo tynals a rŵms
gostiodd grocbris o PetSmart Bae Colwyn.

Ond ar Fawrth un deg dau, fe aethom i'n gwlâu
(wna'i'm manylu, mi fydda i'n gryno)
a phan godon ni'n bore a mynd at y caej,
doedd Cyfle, y bochdew, ddim yno !
Mae 'na ddyn dros y ffordd efo tŵls reit amheus
yn ei sied, dim ots be dach chi'n ddeud,
ond dwi'n siŵr nad y fo herwgipiodd yr hamster –
wel, be fasa'i reswm dros wneud?

Ond ta waeth, ar ôl ei archwilio yn fanwl
mi welson ni dwll yn y plastic,
roedd yr hamster 'di cnoi ei ffordd allan dros gyfnod
o chwech neu saith wythnos – ffantastic !
Colli Cyfle mae pawb yn tŷ ni erbyn hyn,
a'r hiraeth amdano'n aruthrol,
ond dwi'n hoffi'i ddychmygu mewn caffi yn Ffrainc,
mewn beret, mwstash bach a sbectol.

Limrig (Gweledigaeth)

Mae 'na bobol sydd wedi gweld Huw
ac yn taeru ei fod o yn fyw.
    Bobol bach, get a life,
     ma' Huw yn East Fife,
mae'n siŵr pwy 'dach chi'n weld 'di Duw.

       ***

Yn yr Almaen mi welais i Adolf
yn chwarae harmonica, a golff.
    I gyfeiliant Max Boyce
     canodd "Two Little Boys"
cyn deud yn nawddoglyd "cân dda, Rolf".

GL

Cân

Pnawn o Awst a llyn mewn mynydd
tithau a minnau a'r plant
yn yr hesg heb sgidiau;
o'n cwmpas – y tes yn plygu'r bryn a'r brwyn
a dawns aflonydd-lonydd gwas y neidr.

Llyn fy mhlentyndod
a llyn di-waelod 'nôl cred y fro
ei ddiwaelodrwydd du yn her
a'i sipian yn yr hesg
yn ias,
ers talwm.

Heddiw i'n plant o swbwrbia'r ddinas
dim ond llyn crwn, gwyn
heb ddyfnder na hunllef na gwefr
ond gwefr un gwas y neidr
a gwybed yn cracio'r gwydr.

Mynd yn ôl i'r car
ac o lwybr y mynydd i'r briffordd chwim
ond am yr ychydig eiliadau hynny
nid oedd arnom eisiau dim.

GE

Yr atyniad

Mi ddyfeisiais i fagned ofnadwy o gry',
ond rŵan mi rydwi mewn trwbwl,
mae o'n tynnu pob peth metel tuag y tŷ
a fedra'i mo'i ddiffodd o gwbwl.

Mae 'na gyllyll a ffyrc ar fy waliau yn drwch,
tuniau bîns sy'n dod drwy'r ffenestri;
mae'r dreif yn llawn ceir, tractors, ambell i gwch;
mae'r holl beth 'di mynd dros ben llestri.

Drwy ffenest fy llofft dacw'r Fenai yn llawn
o longau o bob rhan o'r byd;
maen nhw i gyd yno'n gaeth i atyniad cry iawn
y magned – mae o fel magned hud.

Awyrennau sy'n plymio o'r awyr i lawr,
lloerennau sy'n styc ar y to,
mae'r tŷ fel iard Steptoe, ond ar raddfa fawr,
a fedra'i ddim ffeindio'r cwt glo.

Erbyn hyn *dwi*'n fagnetig, a'n fillings i'n denu
hen feiciau o ben draw y gofod;
a dyna pam dwi 'di rhoi'r gorau i ganu,
mae'n ddrwg gen i, bawb, ond dwi'n gorod.

GL

31

Daw'r Gwanwyn yn ôl

(ar ôl gwrando ar record o'm brawd Gwilym Gwalchmai (1921-1970) yn canu dwy gân
"Y Berwyn" a'r "Gwanwyn Du")

"Daw'r gwanwyn yn ôl i Eifionydd cyn hir
A glas fydd yr awyr a glas fydd y tir,
Glas fydd y cefnfor ond du yw fy mron,
Glas yw y llygaid sy 'nghau dan y don".

Ein gramoffon yn ferfa
a'i choesau i fyny'n anweddus
ac yn swatio 'dani –
Ti yn Chaliapin a finne'n Gigli;
hyn cyn i'r Columbia ddeuddrws, dderw
barchuso breuddwyd a dileu dychymyg!

Ein menyg paffio yn sach wedi ei leinio â gwellt
a'r cyfan yn focsio gwâr
teilwng o Peterson a Tommy Farr
nes chwalu o'r stwffin a rhwygo'r sach.

Criced wedyn.
Lwmp o bren hôm-mêd yn fat,
stympiau o'r gwrych yn wiced
a'r llain yn faes brwydr Swydd Efrog a Notts.
Hardstaff a Leyland,
Larwood a Billy Bowes.
Ninnau'n ein tro yn Verity'r troellwr
heb wybod hyd heddiw
ai twll yn y cae
neu dwidlan bysedd a barodd i'r belen blygu!

Troi'r cae yn ei dymor
yn Maine Road a Goodison,
Ted Sagar a Swift yn fwâu eogaidd rhwng pyst
ac ergydion Tilson a phenio bwledog ein Dixie Dean.

Rhuthro o chwys gwair a gwenith
a chraig llyn y felin yn llwyfan ein deifio dwfn
pan oedd yr haul yn falm o felyn.

Rhannu nosau'r trowynt
a hwnnw'n plastro eira distaw ogylch y tŷ,
ninnau'n dau yn suddo i ddyffryn dwfwn ein gwely plu.

Rhannu hefyd ein hosan 'Dolig
pan oedd y syml yn flas
cyn dyddiau'r brasder a'r saim.

Cyn torri o'r llais
cofio dy gyrls a'th gân yn 'steddfod y plwy
"Cenwch im gân am y llanc nad yw mwy,
Tybed ai fi oedd ef?"

Ac wrth dy ollwng cyn pryd i ddaear ein tras
O! na fai hynny hefyd
yn rhan o'r brafado,
yn rhan o'n dychymyg glas.

GE

Diwygio'r Eisteddfod

Ymhell, bell yn ôl, cyn bod sôn am Lloyd George,
Cardiff City, Huw Jones na Maes B,
Roedd y Steddfod yn Ŵyl dra gwahanol
a doedd 'na ddim lle 'no i bobol fel fi;
'Chos roedd croeso'n y Brifwyl i bob copa walltog
(y rheini a elwid yn hoelion
yr achos) – ond croeso i'r gwalltog yn unig
oedd hwn – doedd na'm croeso i'r moelion.
Dach chi'n gweld, 'radeg honno roedd pobol heb wallt,
deud y gwir, chydig bach yn esgymun
ac mi allen nhw ddisgwyl cael croeso 'run fath
ag a gâi Harold Shipman mewn cymun.

Roedd un prydydd dawnus a hanai o ynys
ddi-nod dros y dŵr – rhywle fforin –
ie, sir Fôn – wel, roedd o isio 'muno 'fo'r Orsedd,
ond och! doedd na'm blew ar ei gorun.
Ei enw oedd Arfon. Roedd ganddo ffarm hamsters
yn rhywle yn ymyl Llangefni –
Rhai blewog a melyn – blew perffaith, deud gwir
i wneud wig fyddai'n cuddio ei foelni.
Ac felly aeth Arfon i'r Steddfod mewn wig,
heb i neb amau'i fod o'n ben ŵy,
a chyn hir deuai pob Cymro moel at ei ddrws,
ac mi dyfodd ei ffarm o yn fwy.

Ymhen rhai blynyddoedd roedd Arfon Ben Hamster
'n ddyn mawr yn yr Orsedd oherwydd
ei "wallt" melyn hyfryd mor gyrliog a llaes,
ac yn 'diwedd mi aeth yn Archdderwydd.
Mi aeth y ffarm hamsters o nerth i nerth wedyn –
roedd pawb isio wig Arfon Môn,
a chyn hir yr oedd maes yr Eisteddfod yn orlawn
o slapeds mewn wigs, yn y bôn.

Ond un Awst tyngedfennol ym mil naw dim un
trawodd corwynt aruthrol ein gwlad,
a chwipiodd yn greulon drwy faes yr Eisteddfod
a'i gadael mewn uffern o stad,
fe hyrddiwyd pob pabell i Azerbaijan;
chwythu i ffwrdd hefyd wnaeth pob gwallt gosod;
A dyna, dros ganrif yn ôl erbyn hyn,
ydi sut y di-wig-iwyd y Steddfod.

Gwarchod

Ma gynnon ni hetiau a chathod;
dan ni'n hel pryfed cop a llyffantod
i'w rhoi nhw mewn crochan,
ond weithiau, wrth ddarllan
dan ni'n drysu, a deud bod ni'n gwarchod.

GL

Gofal

Hi, ein chwaer ddi-briod, ddi-amynedd,
A hi, yn yr hen gartre a fu'n driw tan y diwedd.

Hi oedd targed ein pranc a'n profocio
Ac yn galon i gyd, yn cyffroi ac yn ffrwydro.

Hi y fugeiles gyda'i llusern sigledig
yn byseddu'r nos am y fam a'i hoenig.

Hi, yr eiddil, aberthodd ei bywyd
I henaint hiraethus ein mam gymysglyd.

Nid edliwiodd erioed i'w dau frawd crwydredig
Eu hawr gyhoeddus, eu bri diflanedig.

A hi, pebai yma, fyddai'r cyntaf i wfftio
Nid y bardd a'r testun, ond ei ddehongliad ohono!

GE

Fy hobi newydd

Chwarae cardiau oedd fy hobi: rymi, whist, pontŵn a snap;
ond mae gen i hobi newydd: gwylio beirdd yn dawnsio tap.

Mi ddechreuais i ar ddamwain, 'r ôl gweld llun John Morris-Jones
ganrif 'n ôl ar lwyfan Steddfod yn tap-ddawnsio yn ei drôns.

Clywais wedyn mai yr henfeirdd Guto'r Glyn a Dafydd ap
ydoedd arwyr mawr Gene Kelly am eu dawn yn dawnsio tap.

Roedd gan T.H. Parry-Williams sgidiau dawnsio, meddai taid;
tapiai Crwys bob nos cyn clwydo; tapiai Waldo pan oedd raid.

Mae beirdd heddiw wrthi hefyd: Ceri Wyn ac Ifor ap,
ond nid Menna Elfyn chwaith – peth dynion ydi dawnsio tap.

Oes golygfa well dan haul nag Alan Llwyd yn tapio'n ffri
efo'i het a'i gansen fechan? Nag oes wir, ddywedwn i.

Gwelais Iwan Llwyd yn tapio ar y teli o Irac,
gwelais Donald Evans wrthi, Ieuan Wyn a Meirion Mac.

Unwaith gwelais Tudur Dylan yn tap-ddawnsio yn y glaw
i gyfeiliant organ drydan – profiad sgytwol ar y naw.

Ond mae gen i gyfaddefiad: fedra' i ddim dawnsio cam,
dim ond gwylio beirdd yn dawnsio tap, a'r cwestiwn ydi – pam?

Am fod enaid dyn yn mynnu, er fod ganddo fawr o grap,
fod rhaid gwneud y pethau bychain: gwylio beirdd yn dawnsio tap.

GL

Gofyn

Mae un wyneb wedi ei serio ar fy sgrin yn arswyd –
dau lygad mawr plentyn yn igian, yn gryndod o ddagrau
a'i deulu, cert, ceffyl a gweddill y cartref a losgwyd
a stori'r gymuned a doddwyd yn hysteria'r fflamau.

A sgrin arall, gyhoeddus, yn llawn fflachiadau medalau
a strytian cadfridogion, gwleidyddion a cheffylau blaen
yn trefnu, dedfrydu, yn pennu ein poenau a'n dyddiau
a hynny, hyd y gwela' i, heb na gwewyr na staen.

Mae 'na draha. Mae 'na gam
a neb, bron, yn gofyn i be a phaham.

GE

Hanes taith anhygoel
fy Anti Beti i'r Himalayas

Aeth c'nither fy nhad, anti Beti
i'r Himlayas i chwilio am ieti,
    ond o'r mynydd-oedd
    clywyd andros o floedd –
roedd yr ieti 'di iste ar ei het hi.

Englynion anghywir
i Iwan Llwyd

Fy ngwas efo'i fas a'i fol – mae'n caru
    gwin, cwrw, colestrol;
    fe ddaw mewn o'r glaw heb lol;
    babi, mae'n fardd y bobol.

Mae'n fardd sydd dan ddylanwad – New Yorkers;
    mae'n eicon i'r henwlad:
    pawb yn *Pendeitsh* sy'n weitsiad
    am y swynwr mwyn a mad.

GL

Gwahanu

Allan acw
swn dinas yn dawnsio'n las a choch,
lleuad lawn yn llonydd-fawr
ar lwyn yr ardd
ac yn y gornel
rhwng y tân trydan a'm dillad sychu
dau ddyn mewn bocs
yn trio deud fod y byd yn ddigri.

Mi setlwn i heno
am swn y sguthan a'r dylluan yn y coed,
y gylfinir neu'r gornchwiglen ar weundir fy henfro
neu'r wylan ar y morfa mawr,
bref oen heb ei fam
a chyfarth pen pella'r cwm.

Rwy'n deall unigedd felly.

Ond gwell picio i'r llofft
at y ddau fach sy'n cysgu,
yn cysgu gobeithio,
rhag gorfod ateb, am y canfed tro,
"Ple mae dadi?"
a pham ei ffarwel ddi-ddychwel o.

GE

Wrth nofio

Wrth nofio'n y môr ger Pwllheli
mi lyncais i hen sgodyn jeli:
   roedd ei flas o fel reis,
   ond ddim hanner mor neis.
Byth ers hynny mae ngwynt i yn smeli.

Wrth nofio'n y môr ger Traeth Coch,
i'm cyfarfod daeth cenfaint o foch
   yn nofio'n ddidramgwydd,
   ac meddai'u harweinydd,
'ti'n gwbod lle mae Abersoch?'

Wrth nofio'n y môr ger y Barri
mi deimlais i law ar 'y ngwar i,
   wel, i fod yn reit gryno,
   môr-forwyn oedd yno
mewn cwch hwylio yn sipian Campari.

$$\boxed{GL}$$

Moelni

Mi awn eto'n dau cyn nosi i Gwm Pennant a Chwmstratllyn
I geisio cysur gan y gog, ac undonedd ei dau nodyn
Yn darogan dyddiau gwell, di-glefyd wedyn.

Yna i'r Berwyn sydd yn cydio Meirion a Maldwyn
A diferion cariad di-edifar yn naear lom ei grug a'i rhedyn –
Hyn, a mwy, cyn dyddiau'r clwy, cyn dyddiau'r deigryn.

Wyt ti'n cofio Connemara, Donegal, Ynysoedd Arran –
Waliau cywrain, mawndir, ffliwt, y ddawns a'r cytgan,
Cyn suddo i rin yr hen orllewin yn y machlud syfrdan.

Wedyn, fraich yn fraich, yng nghesail un o greigiau hyna'r byd,
Yno, uwch Aberdaron, mae 'na ffynnon sy'n iachau'r doluriau i gyd.

GE

Bocsys byrgers McDonalds

*(ar ôl darllen yn y papur fod McDonalds am ddechrau gwneud eu bocsys
o groen tatws, er mwyn gwarchod yr amgylchedd)*

Yn aml mi a'i i McDonalds
pan ga'i awydd bwyd yn y stryd,
mae double cheeseburger bob amser ar gael
lle bynnag y bydda'i'n y byd.

Ga'i Chicken McNuggets yn Cheina,
ym Moscow – McMuffin Meal mawr,
McByrger o Borc ydi'r boi yn New York
a Big Mac yn Llanbadarn Fawr.

Maen nhw'n gwerthu miliynau bob munud,
dyma'r bwyd mwya' hwylus erioed,
a phob byrger ddaw mewn bocs papur;
maen nhw'n iwsio tunelli o goed.

Ond daeth newydd da i'r coedwigoedd:
mae McDonalds yn glyfar ofnadwy,
maen nhw am wneud y bocsys o hyn ymlaen
o groen tatws – bocsys bwytadwy!

Ond 'swn i'n deud fod hyn yn gam peryg,
chos meddyliwch, heb fod yn gas,
os di'u byrgers nhw'n tastio fel cardbord
fydd y bocs rywfaint gwell o ran blas?

A'r tro nesa yr a'i i McDonalds
y broblem fydd genna'i fydd hyn:
pan ga'i un o'u byrgers mewn bocs o groen tatws
pa un dwi am daflu i'r bin?

GL

43

Myfyrdod

ar ymgais lwyddiannus ond trychinebus
ein darpar A.C. i newid delwedd

Un bore cododd Alun Ffred
ac edrych yn y drych;
ni hoffai'r hyn a welai:
"Mae ngwyneb i fel brych!
Dwi'n edrych fel hen begor
sy'n ffwndrus ac yn hen,
a'r rheswm am hyn ydi
y blewiach ar fy ngên."
Gwnaeth benderfyniad sydyn:
"Mi siafia'i marf i off
er mwyn cael swsian babis
heb i'w mamau ddeud ffycoff."
A dyma ddechrau eillio;
ei farf aeth lawr y sinc,
a graddol ddod i'r golwg
wnaeth pâr o fochau pinc.

Efo'i wep fel tintws babi,
dyn newydd ydoedd Ffred;
diflansai bob tebygrwydd
rhyngddo fo a Huw Cered.
Ymdebygai i ryw ffilmstar –
Gregri Pec neu Cary Grant:
byth mwy ni fyddai wyneb Ffred
yn rhoi hunllefau i blant.

A lawr i'r dre yr aeth o
yn gwisgo'i siwt A.C.
i sgwrsio ac ysgwyd dwylo
a rhoi ambell i sws glec;
ond yn y dre, o diar,
bob tro y gwelai fam

yn gwthio'i thrysor bychan
ar hyd y stryd mewn pram,
pan blygai at y babi
gan ddeud gwji gwji gw,
bob tro, dechreuai'r babi
feichio crio, a gneud pw.
"Be ddiawl sy'n bod? Pam mod i
yn dychryn babis bach?"
holodd Ffred mewn rhwystredigaeth
a'i fochau'n wridog iach:
"Blydi hel, dio ddim fel taswn i'n
gynghorydd o Sir Fôn!"
Medd mam y babi, "Na, mae'n waeth –
ti run sbit ag Eaglestone!"
Ac och! O graffu arno'i hun
mewn ffenest siop gerllaw
mi sylwodd Ffred fod hyn yn wir:
llewygu wnaeth mewn braw.

Felly, pan ddaw diwrnod fotio
ar y cyntaf o fis Mai,
os Llafur Newydd eith i mewn
ar y gwyneb tin mae'r bai.
Ac felly wrth in nesu
at y diwrnod pôl,
dwi'n erfyn arnat, Alun Ffred:
plis tyfa'r locsyn 'nôl!

GL

Pero

(darn adrodd)

Roedd rhywbeth o'i le ar Pero yn gorgi tair wythnos oed,
Rhyw annigrwydd bitnicaidd o'i glustiau i'w bedwar troed,
Ni cherddai run fath â chŵn eraill, yn gytbwys, di-rodres a chlên,
Ond swagro'n herciog-ddirmygus, a her yn ei stwmp cynffon a'i ên.

A phan ddaeth i oedran aeddfedrwydd, i sefyll ar ei bawenau ei hun,
Aeth ei straen anghydffurfiol a'i gwyrcs yn destun siarad pob un.
Fel enghraifft o'i odrwydd – doi'r postman ar ei frecwastaidd rawd
A byddai'n ei dderbyn yn llawen, heb awgrym o ddicter na gwawd,
Ond pan droai ei gefn, byddai Pero'n ei sodli'n gas
A'r eiliad nesaf yn hollol ddidaro, fel un o'r distadlaf dras.

Roedd Bronwen, corgast y Lion, yn ei garu, os dyna'r gair,
A chlafychai amdano pan fyddai'r lloer uwch y gweunydd a'r gwair,
Ond chafodd 'run ledi erioed gâr mor sadistig ag e',
Ac fe'i gadawyd yn destun gwawd, fel y ferch honno ar balmant y dre.

Fe hoffai wylio'r teledu, ond methais wneud dim â'i chwaeth –
Fe gysgai trwy gyffro'r "Lone Ranger", a'i ymateb i Sooty yn waeth.
Nawddogai y Telewele – 'falle fod yr iaith yn taro tant,
Ond dwedai ei lygaid – "nid rhaglenni i Pero yw'r rhain ond rhaglenni
plant"

O'r diwedd aed â Phero i gartref arbennig y cŵn
I gael triniaeth seiciatryddol i'w straen anystywallt a'i sŵn,
Ar ôl ei archwilio'n ofalus, meddai'r arbenigwr, wrth nodi'r tâl,
"Mae Pero'n fiolegol normal ond yn emosiynol ar chwâl."

Ni wn beth ddigwyddodd yno, pa olchfa ymenyddol a fu:
Dychwelodd Pero – ond nid Pero'r delincwent du.
Daeth sidetrwydd newydd i'w gerdded, ni chwelir ein siarad â'i strach
Mae'n 'styriol wrth Bronwen a'r postman, mae'n gwrando
Shostakovitch a Bach

Ond weithiau, yn oriau hymdrym fy mywyd, a Phero'r parchus wrth law
Hiraethaf am Pero'r direidi, am Bero y bitnic a'r braw.

GE

46

Coeden Nadolig v. Caws

Den ni'n codi coeden yn y stafell fyw
i gofio geni Crist, mab Duw.
Pam cael coeden yn tŷ, does gen i'm clem:
oedd hyn yn arferiad ym Methlehem?
Dwi 'di sbio'n y Beibil, 'sna'm sôn am fins peis
na choeden na thinsel na Morcam and Weis;
ma' gen bawb goeden, peidiwch gofyn pam,
ond ma'r goeden druan yn cael dipyn o gam
'chos tra den ni'n byta'n twrci a'n treiffl i de
yng nghwmni Eastenders a ripîts Fo a Fe
mae'r goeden druan yn colli'i nodwydde
ac yn marw'n araf. Dwi ddim yn deud clwydde.
Mae'r holl fusnes yma'n mynd rownd 'y mhen i
ac felly dwi'm yn cael coeden eleni:
na, yn lle coeden be sy gennon ni
ydi tamaid bychan o gaws Brie;
mi brynes i o yn Seffwê,
dio ddim yn cymryd lot o le,
mae'n drewi braidd, ond mae'n haws manwfro
ac yn golygu dipyn llai o hwfro.
Mae'n eistedd mewn soser ar y llawr
ac yn gwneud i'r presante edrych yn fawr;
mae'n denu llygod bach o'r ardd
a phlant amddifad, ac ambell fardd,
felly'r flwyddyn nesaf, gwnewch 'ych gwylie'n haws
a rhowch eich tinsel ar damaid o gaws.

GL

Plentyn rhyfel y Gwlff

Gwelais ei lygaid mawr du
yn rhythu trwy'r sgrin
i mewn i fy llygaid i
ei weld trwy fy nagrau
ac yntau'n rhy wan, yn rhy wag,
yn rhy hen
i grio.

Ei asennau pigog yn rhes
fel y sgerbwd hwnnw o gwch gynt
yn y gwynt a'r glaw
draw, draw ar greigiau Llanddwyn.

Dwylo'n crafangio
ar fronnau llipa heth tethi ei fam
a'r olew a'r llaid
yn sugno esgyrn ei draed
lawr i'r diddymdra du.

Diymadferthedd tebyg ei ymwacau
a welais unwaith o'r blaen
pan oeddwn innau'n fach,
ond hongian wnai hwnnw ar hoelion
gan gario ei goron o ddrain.

$$\boxed{GE}$$

Pam Fi

Dwi'n cofio'r tro dwytha na'th Cymru'r Grand Slam,
o'n i'n mynd efo geneth, a'i henw oedd Pam.
Roedd Pam Fi yn bishyn, mewn ffordd reit bisâr,
doedd hi'm yn annhebyg i'r hen J.P.R.,
'blaw bod hwnnw yn ddoctor a hithau'n ddi-waith –
meindiwch chi, doedd ganddi hi'm seidars ychwaith,
ond roedd na debygrwydd. Ond ta waeth am hynny,
roedd pethau rhwng Pam Fi a fi ar i fyny;
mi oedden ni'n dau wedi sôn am briodi,
ond roedd hyn cyn y ffrae gawson ni ar gownt Nodi:
'chos i mi, yr oedd Nodi yn dipyn o ddyn,
ac mi ddeudis i hyn wrthi un bore Llun.
Wel, os do, aeth hi'n wyllt, o'n i'n syth dan y lach;
iddi hi doedd o'n ddim mwy na ffasgydd! Mam bach!
A thase hi'n bosib, aeth pethau'n waeth eto
pan grybwyllais fy hoffter o'r gloch ar ei het o.
"Alla'i byth dy briodi," meddai hi wrthyf i.
"Ond pam?" meddwn i. "Be rŵan?" meddai hi.
"Na, pam ti'n 'y ngadael i Pam, pam gwneud hyn?"
Ond mynd wnaeth heb ateb. Pam Fo 'di erbyn hyn.

$$\boxed{GL}$$

Rhydd

(I gofio Jaroslav a Mirek yn Tsiecoslofacia 1970)

Bod yn rhydd
ydy codi pac a mynd
a dychwelyd i'r un man
a dim wedi newid.

Bod yn rhydd
ydy medru dychwelyd.

Bod yn rhydd
ydy cael cerdded yn y coed
a siarad,
gan wybod
na fydd y dail yn dial.

Bod yn rhydd
ydy medru siarad.

GE

Dwi isio bod yn banda

Dwi isio bod yn banda
yn byta shŵts bambŵ
yn eistedd mewn rhyw goeden
yn archwilio lwmp o bŵ.

Mewn B&B

Tri pheth sy'n fy ngwylltio'n gacwn:
sudd tomato dros fy macwn,
cornfflecs fatha papier maché
a sos brown sy'n dod mewn sashé.

Fy hoff anifail

O, neidr gantroed annwyl,
fy hoff anifail i,
dwyt ti'm yn baeddu'r carped
nac yn cnoi fy slipars i;

dwyt ti'm yn cadw twrw,
rwyt ti'n ddyfal yn yr ardd:
dwi ddim yn siŵr iawn be ti'n neud
ond arglwydd, rwyt ti'n hardd.

GL

R.I.P.

Mae yno fynwent.
Ar y beddfeini, enwau a fu unwaith yn barabl a bwrlwm.
Yn y cae drws nesa
'sgerbydau hen foduron yn sgrap.

Dau gae a beddrodau'r tadau.

Rhai yno yn ddarfod tawel –
moduron oedfaon gwell.
hen gyrff, hen fframiau, hen lampau
stwff cyn-y-rhyfel a llaw y crefftwr ar bob un
"mi fydd y rhain yn byw wedi'r elom ni"
Hen urddas solet, sgwâr.
"Vintage"
A phan ddaeth y diwedd ac ymado â'r byd
dim ond diolch a deall pam iddi nhw bara cyhyd.

Yno hefyd y cerbyd bach coch
yn grôm ac yn graciau i gyd –
ei linell fidog yn hollti'r awyr
a thorri calon
'rôl chwalu'n gyrbibion un noson o sbri.
Yna yn gonsertina.
Ar ei gloc ifanc, y milltiroedd a fedrai fod.

Un arall, un noson braf
yn hymian ei grwndi
a'r ffordd yn feichiog o haf,
rhythm rheolaidd yr injan yn gysur
pan fyddai'r daith o'r ddinas yn ddianc.
Gweld fan'cw ddrws aelwyd
a breichiau anwylyd a'r plant.
Yr injan yn stopio'n stond.
Ac ystrydeb y cwestiwn a'r ateb arferol –
rhyw hen wendid yn y brid o'r bru

a'r bibell yng nghalon y peiriant
yn cronni a thagu dan bwysau di-amynedd y droed.

Rhwd wedyn!
Peiriant dan gamp, medde'r broliant
ond neb yn sôn am y crach a'r cancr
yn tyllu'r metel
a gyrru'r modur i ebargofiant.

Heibio'r ddwy fynwent heddiw
fe ânt yn heidiau gwt-gwt i lan y môr –
y penwyn gorbwyllog sy'n cadw'r ciw yn ei ôl
a'r gwaed-wyllt sy'n igam-ogamu ei lwybr
i safnau distryw.

GE

Wedyn

Yn ôl y chwedl 'roedd Noa a'i hiliogaeth i gyd
Yn gadwedig mewn arch etholedig pan foddwyd y byd.

Blinodd ar y bywyd mewnblyg a'i gecru bas –
Anfonodd golomen ar y donfedd ddirgel tua'r erwau glas.

Cyrchodd un ddeilen olewydden yn ôl yn ei gylfin
Cyn ffarwelio i eni a chwtsio'i rhai bach ar y brigyn

A heno ger glannau'r Fenai ac ymchwydd ton,
Hedyn ar adain hyder yw'r bererindod hon.

GE

Yr Ymddeoliad

Arglwydd, be wnawn ni? mae Duw'n ymddeol:
mae'n trosglwyddo'r awenau i'r cyngor lleol;
wel, ar ôl milenia fel Iôr hollbresennol
mae ganddo ryw awydd cael bod yn absennol:
'sa fo ddim am i neb ddechrau deud fod o'n ddiog
ond mae'n joban lawn-amser bod yn hollalluog.

Mae o'n meddwl yr eith o am wyliau i'r haul –
mae o'n gwybod nad oes unlle poethach i'w gael,
ac yn fan'no mi geith o anghofio am sbel
am y ddaear a'r nefoedd ac uffern (neu 'hell').
Yn yr haul caiff roi heibio helbulon y byd
'chos fydd neb yn ei nabod pan gerdda y stryd.

Bydd y nef, rhaid cyfaddef, yn eitha gwahanol
pan fydd pob dim dan ofal yr awdurdod lleol.
Bydd raid prynu'r tywydd gan gonsortiwm yng Nghaint
a'r Adran Bersonél fydd yn penodi saint.
A waeth i neb siarad o blaid iaith y nefoedd
– byddai hynny yn hiliaeth ar draul lleiafrifoedd.

Ond os nad ydi ymddeoliad Duw yn beth digri
meddyliwch gwaeth fydd hi pan eith Dafydd Wigley.

GL

Ym Mwrgwyn

Ni welem ni'r ymwelwyr ond unffurfiaeth taclus
a'r dwylo gwerinol sydd wrthi'n anwylo a thrwsio
rhwng y rhesi gwyrdd.
Yn ein llaw y llyfryn twristaidd, hwylus
sy'n nodi enw'r winllan.
Hen hanes y teulu, y "chateau", y llwyth.

Cael ein tywys
i sipian twyllodrus-ddoeth y seleri
a golchi seigiau'r hwyr â rhin y chwe deg naw.

Ond stori arall sydd i'r bysedd cynhenid a fu yma erioed –
Pryder y barrug sy'n llygru'r gwreiddyn a phydru'r coed,
Y cesair sy'n curo'r blaguryn, yr haul na ddaw yn ei ddydd,
Y pryfetyn barus, yr haint, y paraseit a'r feirws cudd.

A stori'r dirgelwch. Y bwrlwm sy'n drech na phob braw –
alcemi'r eiliad lle daw'r haul, y gwlith, yr awel a'r glaw,
Gaeaf, hydref, haf a gwaedlif y gwanwyn
Oll yn eu tro i lawenychu a beichiogi'r grawnwin.

Bydd tocio hen dwf blinedig o gangau cnotiog y gwinwydd
a'r un hen flas yng ngwythiennau pob clwstwr newydd.

Dyna 'di cadw teyrnas, dyna 'di ystyr tras –
Pob gwinllan a'i hanes unigryw, ei henw a'i blas.
Wedyn bydd deall hen ddamhegion yr hil –
Buchedd y winllan a roddwyd, y moch a'r genhedlaeth chwil.
A pham i ryw Naboth gwirion, er gwaethaf crocbris y brenin,
Droi ei waed yn wrtaith a'i winllan yn wlad ddilychwin.

GE

Y Sw

Mae na lawer yn hoff o Sue Barker,
sef tenis-gyflwynwraig y Bîb,
ond i mi mae hi dipyn yn goci
ac mi fase hi'n dda torri'i chrib,
felly bob tro y gwela'i hi, dwi'n gweiddi, "Bww!
Ti'n fodan, ocê, ond nid ti 'di Y Sw!"

Mi ddysgais i chwarae y piano
efo llyfrau gan Sw Gerallt Jones;
mi ddysgais am grotchets a cwefars
a trebl cleffs a semitones,
ond dydwi ddim callach be wna'i efo nhw.
Felly diolch, Ms Jones, ond nid chi 'di Y Sw.

Mae Y Sw yn gr'adur anhygoel
– cyfeilles fach Sooty a Sweep;
ma'i chorff hi yn ffitio fel maneg
ar law Matthew Corbett – y crîp.
Efo'i llygaid mor dduon a'i blew hi mor wyn
mi ydwi mewn cariad 'fo Sw erbyn hyn.

"Ond arthes fach ydi – ei lle hi 'di'r Zw!"
meddai Mam, ond dim ots gen i. Hi 'di Y Sw.

GL

57

Ynys Llanddwyn

(geiriau a luniwyd i ddilyniant ffilm ac i hen alaw Ffrengig)

Mae 'na forforwyn yn Llanddwyn
a'i thresi melyngoch dan donnau gwyrdd
ar glogwyn o aur, y cof amdani
yn dorch o Seren y Gwanwyn.

Stori'r storm ar y trwyn
a nosau pelydrau'r goleudy gwyn,
y ddoe cynddeiriog heddiw'n asennau pigog
ar greigiau Llanddwyn.

Cinio i'r cywion
yng ngwylio dau uwch y dwfn
a phryder ac ofn yn ddwy goes ar binnau
yn nhywod Llanddwyn.

Hen eglwys yn glais ar y gorwel
ac adfail yn ddinosawrws
ar weundir Llanddwyn.

Yn stori?
Yn freuddwyd?
yn noddfa i'r addfwyn?
Yn golled?
Yn siambar sorri?

Hanes ein heinioes a'n henaid
yw hanes hen ynys Llanddwyn.

GE

Testunau twp y talwrn

Testunau twp y Talwrn ydi'r unig rai i mi,
mi ydwi yn eu caru, ac maen nhw'n fy ngharu i.

Maen nhw'n dod i'r tŷ mewn amlen gan y capten, Dafydd Huws,
dwi'n eu gweld nhw, ac yn gwenu, ac yn teimlo'n reit amiwsd.

Dwi'n eu cadw wrth fy nghalon, ym mhoced ucha' nghrys,
mi ro'i sylw iddynt rywbryd, ond am rŵan, does na'm brys.

Maen nhw'n gynnes yn fy mhoced, cadw cwmni imi wnan'
dwi'n breuddwydio am limrigau, yn fy mhen mae egin cân.

Ac os ydyn nhw'n destunau braidd yn dwp, i bwy mae'r clod?
ddim i Dic, dwi'n siŵr o hynny, ac yn sicir ddim i Maud.

Nage, ffrwyth dychymyg hynod wyrdroedig ydi'r rhein
gan ryw foi sy'n rhoi ei enw da fel prifardd ar y lein.

Gen i hamster melyn hefyd, ie, hamster, efo aitsh,
ond maen well gen i'r testunau, chos den nhw'm yn baeddu'u
caej.

Oni bai am y testunau, faswn i'm yn sgwennu sill,
dim ond eistedd o flaen dalen wag yn tynnu stumiau hyll.

Ond pan dynna'i nhw o mhoced, crafu mhen a thyrchu ngho',
a dechrau sgwennu fel peth gwirion, dwi'n creu campwaith dro
'rôl tro.

GL

Y Tomos arall

Ebrill 21/22 2001 yn Neuadd Ercwlff (Hercules) Portmeirion
wrth ddathlu bywyd a gwaith R.S.Thomas.

Yno'r oedden ni'n dal i chwilio amdano;
gwrando ar sigl a swae ei fyd a'i gredo
a'n bys ar byls ei guriadau
a'i ocheneidiau anhraethadwy.

Neuadd yn bendrwm dan draha cyhyrau
a murluniau mawrdra:
y brenin Diomedes a'i dameidiau o gnawd ei bobl
yn fwyd i'w feirch,
ac Ercwlff yn ei falu yntau,
lladd Hydra'r naw pen
a ninnau'n ymbesgi ar doreth delweddau
a drysu ym mathemateg distryw.

Dwyn wedyn yr afalau aur o'r berllan
ac yn Arcadia'r bardd a'r bugail
darnio adar y pigau dur.

Ercwlff!
Teyrn twrch trwyth a tharw
yn ias yr angau i ddraig a charw.

Yna, i ganol ein sbloet delweddol
a geriach oesol ein trechaf treisied –
staccato Cnoc! Cnoc! Cnoc!
wrth y ffenestr yn curo –
Titw Tomos Las!

Ni yn ein cocŵn
wedi'n lapio ym mhlygion chwedl a dameg,
yn ymbalfalu, fel ein bardd offeiriad,
am yr allwedd a'n cyrchai y tu hwnt i farrau rhesymeg.
Ni yn ddi-adain

yn ein neuadd orlawn o arwriaeth echdoe,
yntau'r bychan a'i fyd a'i fydr
yn ddi-hid, ddiniwed
heb wybod dim am ein cân a'n caethiwed.

Cofio'r llais offeiriadol, aflonydd,
cofio ei gur yntau o fewn i'w fyd
cofio'r gair annigonol,
cofio'r Duwdod byddar a mud,
a'r eiliad honno pan graciwyd y cyfan
gan guriad pigiad un titw bychan.

Rhywle yng ngwrthbwynt ein cred a'n anghred
daw eco o'r curo a'r chwilio arall –
Tomos a'r nos yn ei enaid, a'i gri,
'Oni chaf . . .
Oni welaf,
Oni theimlaf,
Ni chredaf i'.

GE

Geiriau

Cofio mam a'i gwniadur, crefft y darnio, gwefr ei chanu,
Breuder llac hen hosan, yna'r trwsio a'r cyfannu,
Bwyth wrth bwyth, dileu y bwlch ar ôl y draul,
A llai a llai o'r patrwm gwreiddiol hwnnw ar gael.

Brodio a chystrawennu felly fu ein rhan ar hyd y daith
A dyna hefyd ydy hanes hen ein hiaith.
Wrth ymboeni am gystrawen, seiniau estron, bastard eiriau
A'n byddaru gan dabyrddau cras eu cordiau,
Ddarn wrth ddarn, a phwyth wrth bwyth, yng ngwlad fy nhadau,
Ai fel 'na y dilëir am byth ein hiaith a'n plethiad ninnau?

(Nodyn. Hen bysl athronyddol ers talwm yn ymwneud â hunaniaith. A chaniatáu ei bod hi'n bosibl darnio hen hosan fel nad oes dim o'r deunydd gwreiddiol ar ôl - ai yr un hosan fydd hi?)

GE

Bore da

(i Ali Ismael Abbas)

Bore da iti, Ali bach, mae'n fore da iawn i ti . . .
do, mi gollaist ti dy freichiau, do, a dy deulu i gyd –
dy fam, dy dad, dy frawd, dy deulu estynedig sy 'di mynd;
ond paid â phoeni – rŵan mae'r Gorllewin iti'n ffrind.

Mae'r Telegraph a'r Mirror am y gorau'n codi pres,
a Georgie Bush a Tony Blair'n gweddïo er dy les.
Ce'st anrheg gan dy arwyr yn Old Trafford, sef crys T,
(un llewys byr wrth reswm) 'di'i lofnodi gan y tîm.
'Sa dy ffrindiau'n eiddigeddus, petaen nhw'n dal yn fyw,
ond ni, dy ffrindiau newydd, sy bellach wrth y llyw.

Yr oeddet bron â marw mewn ysbyty ym Maghdad,
ce'st dy achub gan ein milwyr ni, a rŵan ti'm yn bad.
Mi sicrhawn y cei di'r breichiau plastig gorau sydd
fel y gelli sgwennu llythyr diolch atom ni ryw ddydd.

Pan ddihunaist yn y 'sbyty, yr oedd dy lygaid trist
yn gwanio ein cydwybod ni fel llygaid Iesu Grist,
ac ychydig diweddarach, pan agoraist ti dy geg,
mi ddeudaist nad oedd isio bomio plant, ond chwarae teg,
mae'n siŵr y gwnei gytuno, ar ôl gormes trefn Saddam,
mai pris bach 'di colli'th freichiau, dy frawd, a Dad a Mam.

GL

Y Tri Llais

(a ysbrydolwyd gan erwau'r tanio yn y Traws. Yno y mae hen waith aur Gwynfynydd, hen ffermydd, hen wersyll milwrol a [rhyw ddydd, efallai] hen Bwerdy Atomig. Gwaith aur Gwynfynydd yw'r ddelwedd sylfaenol.)

1.

Acw mae'r llaw a ollyngodd yr ŷd
Yn ddyrnaid ar ben y mynyddoedd;
Y llaw a dynnodd o'r hesg a'r graig
Y clytiau glas yn ynysoedd;
Clywaf holl surni ei alar o
Ac ystrydeb ei incwest ar encil bro –

'Daeth unffurf wisg y brenin
I lwydo'r gwair a'r ŷd,
A chrac y tanio'n chwarae
Ar allor lom Pen-stryd.'

'Unlliw â'r mynydd barus
Yn ddarnau swrth o'i ddrain
Yw'r Feidiog, Hafod Garreg,
Dolmoch a Gelli-gain.'

'Daw'r storm i Foty Llelo
Heb lenwi'r drws â sach,
A'r gwynt fel llafn unionsyth
Drwy dyllau'r 'Foty bach.'

'A minnau yn Nolmynach
Nes dod o'r haint i roi
Syndod a staen y goron
Ar ddrws fy nhras – a'i gloi.'

Cofia o hyd am y dyrnaid o ŷd
A luchiodd i ddannedd y creigiau,
Ond ni wêl mwy ond y llwydni'n cau
A thwll lle bu ysguboriau;
Aur-a-fu-gynt yw ei erwau ef,
A hen s'mera atgofus yn grafion nef.

2.
Ond dywed arall, a'i hyder yn ferw,
'Mae aur o hyd yn y crystyn acw,
Llarpio'r haen oedd ar frig y ceunant
A'i gadael pan blymiodd i'r dwfn a wnaethant.
Fe ddeffry golud Gwynfynydd eto
I'r meistr a gâr dy ddaear afrosgo;
Mae aur o hyd yn ein daear noeth
I'r llygaid caredig a'r bysedd coeth.'

'Nid aur yw hwn i syfrdanu palas
Yn fodrwy cyfamod ar eang deyrnas,
Ac nid i oreuro dwrn dur ein daear
Y plethwyd y creigiau a'r melyn llachar ...
Casglaf o'm cwmpas y plant diystad
A chrafu eilwaith dan greithiau'r wlad,
Casglwn o'r fagddu fân lwch a meini
A'u golchi'n lân ag olew ein cyni.'

'Daw'r eurych a'i offer i'r fynwent fawr
A thry cyfnos Llech Idris yn ffatri'r wawr,
Gwisgwn ar ledr ein llurig glân
Gadwyni a burwyd mewn corwynt tân;
Astalch a helm a gwaywffon eurfin
I gadw glythineb y rhwd o'n gwerin,
Botasau a gurwyd o'r haenau gorau
Rhag brath ysgorpion y segur byllau.'

'Carfiwn angylion ar wyneb telynau,
Ac edafedd yn we ar gryndod sainfyrddau,
Ein heurlwch mewn ifori ar fwa'r crwth
A melfed ein miwsig mwyn ymhob bwth;
Daw dawnsio eilwaith i bibau'r farchnadfa
Ac anthem yfory i firi'r lofa,
Bydd olwyn nas treulir yn yr echel lac
A chroes y crochenydd lle bu'r crac.'

3.
A chlywais ateb meddw o'r cantîn
Yn grechwen sarrug, cras wrth siglo'i gwrw,
Llais a ddyhidlai loes dadrithiad chwerw
Enaid a foddodd atgof gweunydd yn y gwin –

'Ti ramantydd mynwentydd
Ac eurych y tyrau sgrap,
"AR OSOD" yw pob Gwynfynydd.
"AR OSOD" nes symud o'r swyddog
Ei biwis fys ar ei fap.'

'A welaist ein plant yn loetran
Fel hen ddwylo tu allan i'r tap?
"AR OSOD" yw'r bronnau simsan,
"AR OSOD" nes symud o'r swyddog
Ei biwis fys am ei gap.'

A phwy wyt ti i arwain
Y crwt yn ôl i'r creigiau,
Mae rhif y pwysau a delw'r llew
Ar y telpyn aur – ac yntau;
A gwn y bydd gwaith i'r ddau ym marchnadfa'r atomau yfory
Ond ni bydd cartref i fellt y nef yn y di-fetal fryniau.'

4.

A dyna'r gwyntoedd croes
Sy'n nychu fy llygaid heno,
Sy'n gadael fy enaid yn ddarnau'n y gwynt
Fel clytiau cochion y tanio.
Mae darn yn fynegbost i lwybrau'r marw
A'r llall i'r hafnau gleision, di-ddelw.

Chwiliaf am felodi lân
Rydd imi lygaid a ddawnsia
O hyrdi-gyrdi galarnad lwyd
Barnasws y felancolia,
Ond gwn mor ddu yw silŵet adfeilion
Pan chwery gwynt-traed-y-meirw yn yr olion.

Dilynaf y llwybr main
Drwy'r adladd a'r creithiau celyd,
A gweled eto'r denantiaeth rydd
A gwlad a gyfyd o'i hadfyd;
Y wlad a gân i'w gwythiennau breision,
A chladdu cywilydd yr haenau gweigion.

GE

Colli fy sgidie

Mi godais yn gynnar un bore
a gofyn i mam "lle mae'n sgidie?"
"Yn y bathrwm, y ffŵl,"
meddai hithau'n reit cŵl ,
"den ni'n iwsio nhw yn lle toilede."

Sut i sgwennu Limrig

Mae angen dwy linell fel hyn,
sef honno, a hon, a wed-yn
rhowch ddwy linell fer,
mae'n hawdd, dydi? Er,
Mae'n dipyn haws llunio eng-lyn.

Yn nhŷ'r ficar

Mi es i dŷ'r ficar i de:
gofynnodd i mi, "Dach chi'n gay?"
Atebais i, "Na,
ydech chi'n gwisgo bra?"
A dyna'i roi o yn ei le.

GL

Limrigau

Roedd Ifan yn briod â Mari,
ond rŵan mae'n briod â Harri,
   oedd yn briod â Non,
   sy' erbyn hyn efo John,
fu efo Manon, merch Christophe Dugarry.

Roedd Ioan yn briod â Mari,
ond yna fe ddwynodd fy nghar i
   a gyrru i'r nos.
   Meddai hi yn jycôs,
"Dwi'n beio dylanwad Tom Parry."

Roedd Iwan yn briod â Mari,
ond rŵan mae'n briod â Harri,
   mi fu'n briod â saith,
   ac mi ddwedodd un waith,
"I really don't care who I marry."

GL